Flores Family Café

By Ann Stalcup, Illustrated by David Arroyo

La Lonchería

Escrito por Ann Stalcup, Ilustrado por David Arroyo

Lectura Books

Los Angeles

Every morning Alfredo Flores sighed, "Ah, if only I had sons to help me." But whenever a new baby was born, it was another girl. First came Rosa, then Magdalena, Ana, Gabriela, and last of all, Luz. Alfredo loved his girls dearly, but without boys to help him on his farm in San Feliciano, he could grow only enough food to feed his family. There was nothing left to sell to anyone in this small village in Baja California.

Cada mañana Alfredo Flores suspiraba, «Ay, si sólo tuviera hijos varones para ayudarme». Pero cada vez que nacía un nuevo bebé, era otra niña. Primero nació Rosa, luego Magdalena, Ana, Gabriela, y por último, Luz. Alfredo quería mucho a sus niñas, pero sin varones para ayudarle en su ranchito en San Feliciano, una pequeña ciudad en la costa del Pacífico en Baja California, sólo podía producir suficiente comida para alimentar a su familia. No sobraba nada para vender.

3

4

One day a letter arrived from his Uncle Roberto, who lived in the middle of nowhere right smack between the Pacific Ocean and the Sea of Cortez. It said, "I am too old to work in my grocery store. I am going to live with my sister in the city. I am giving my house and store to you."

Alfredo shared the letter with his wife, Teresa, and their five daughters. Everyone talked at once.

"Can our goat and chickens go with us?" asked Magdalena.

"Yes," said Papa. "Our goat gives us milk."

"And our chickens give us eggs and meat," said Ana.

"Where will we go to school?" asked Gabriela.

"We will teach you ourselves," said Mama. "There is no school near Uncle Roberto's store."

"Who will we play with?" asked Luz.

"We will have each other," said Rosa. She was like a second mother to the other girls, and always knew how to make them feel better.

Un día llegó una carta de su tío Roberto, que vivía en el medio de la nada, entre el océano Pacífico y el mar de Cortés. La carta decía: «Ya estoy demasiado viejo para trabajar en mi tienda de abarrotes. Me voy a ir a vivir a la ciudad, con mi hermana. Te estoy regalando mi casa y mi tienda».

Alfredo le enseño la carta a su esposa, Teresa, y a sus cinco hijas. Todas empezaron a hablar al mismo tiempo.

—¿Nos podemos llevar la chiva y las gallinas? —preguntó Magdalena.

—Sí —dijo papá —. Nuestra chiva nos da leche.

—Y nuestras gallinas nos dan huevos y carne —dijo Ana.

—¿Dónde vamos a estudiar? —preguntó Gabriela.

—Les vamos a enseñar nosotros —dijo mamá —. No hay ninguna escuela cerca de la tienda de su tío Roberto.

—¿Con quién vamos a jugar? —preguntó Luz.

—Nos tendremos a nosotras mismas —dijo Rosa. Ella era como una segunda madre para las otras niñas, y siempre sabía como hacerlas sentir mejor.

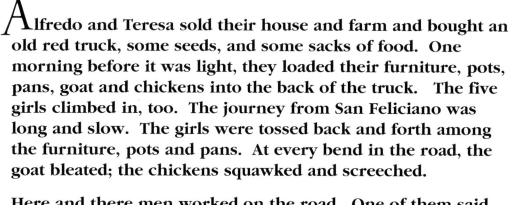

Alfredo and Teresa sold their house and farm and bought an old red truck, some seeds, and some sacks of food. One morning before it was light, they loaded their furniture, pots, pans, goat and chickens into the back of the truck. The five girls climbed in, too. The journey from San Feliciano was long and slow. The girls were tossed back and forth among the furniture, pots and pans. At every bend in the road, the goat bleated; the chickens squawked and screeched.

Here and there men worked on the road. One of them said, "Highway One will soon be paved all the way from the United States to the tip of Baja California. Many tourists will come."

"Good," said Alfredo. "They will stop at our store."

Alfredo y Teresa vendieron su casa y su rancho y compraron una vieja camioneta roja, algunas semillas y unos costales de comida. Una mañana, antes de que saliera el sol, subieron sus muebles, ollas, cazuelas, su chiva y sus gallinas a la camioneta. Las cinco niñas también se metieron. El viaje montañoso desde San Feliciano fue largo y lento. Las niñas andaban inquietas entre los muebles, las ollas y las cazuelas. En cada vuelta del camino la chiva balaba y las gallinas cacareaban.

Por aquí y por allá había hombres trabajando en la carretera. Uno de ellos dijo, —Muy pronto la Carretera Federal Uno va a estar pavimentada desde los Estados Unidos hasta la punta de Baja California. Van a venir muchos turistas.

—Qué bueno —dijo Alfredo—. Vendrán a nuestra tienda.

7

Massive boulders littered the landscape. Cactuses grew wherever they could find room: slender cirios, cholla, yucca, and ocotillo. They crossed streams in their truck. The road was filled with potholes. There were no houses.

At last they reached Uncle Roberto's grocery store. A faded sign above the door read, "ABARROTES ROBERTO." The seventy-six mile journey had taken nine hours. Uncle Roberto was waiting in the doorway. "The supply truck will visit you once a month. Goodbye," he said. And just like that with a wink and a smile, he was gone.

Había piedras enormes dispersas por todo el paisaje. Los cactos – cirios delgados, cholla, yucca y ocotillo – crecían en cualquier lugar que encontraban espacio. Cruzaron arroyos en su camioneta. El camino estaba lleno de baches. No había casas a la vista.

Finalmente llegaron a la tienda del tío Roberto. Un letrero desteñido arriba de la puerta decía ABARROTES ROBERTO. El viaje de setenta y cinco millas había durado nueve horas. El tío Roberto los estaba esperando en la entrada. —El camión de abastecimientos vendrá una vez al mes. ¡Adiós! —les dijo. Y con un guiño y una sonrisa, desapareció.

They all went inside. The shelves were old, dirty and almost empty. Tears rolled down Mama's face.

"Will this place ever feel like home?" asked Mama.

"Or a place where people will want to shop?" asked Papa.

"Can we go home?" asked the five girls.

"This is our home," replied Papa, quietly.

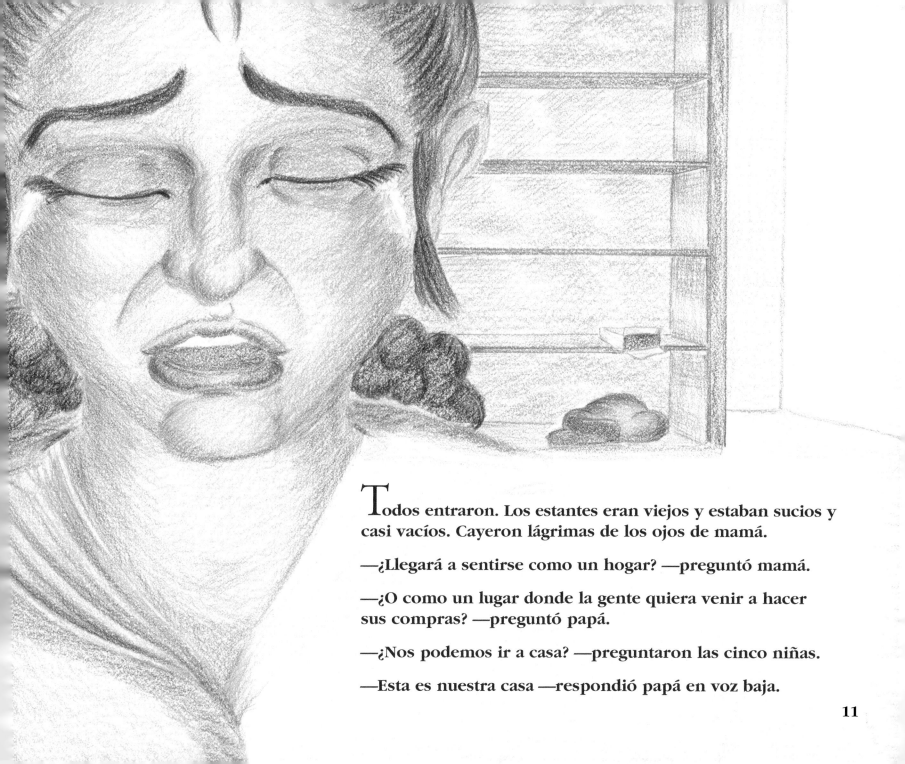

Todos entraron. Los estantes eran viejos y estaban sucios y casi vacíos. Cayeron lágrimas de los ojos de mamá.

—¿Llegará a sentirse como un hogar? —preguntó mamá.

—¿O como un lugar donde la gente quiera venir a hacer sus compras? —preguntó papá.

—¿Nos podemos ir a casa? —preguntaron las cinco niñas.

—Esta es nuestra casa —respondió papá en voz baja.

Early the next morning inside the old dusty store they ate eggs from their chickens and drank milk from the goat. There were rice and beans left over from supper, and Mama made fresh tortillas.

"Papa, why don't we make the store into a café?" suggested Rosa. "We can serve meals and drinks instead of selling groceries."

"You can make tacos, enchiladas, chile rellenos, tamales, rice, and beans," added Magdalena.

"And we can serve the meals," said Ana, Gabriela, and Luz.

La próxima mañana, en la tienda viejita y polvorienta, comieron huevos de sus gallinas y tomaron leche de su chiva. Había arroz y frijoles que sobraron en la cena y mamá sirvió tortillas recién hechas.

—Papá, en lugar de una tienda, ¿por qué no hacemos una lonchería? —sugirió Rosa —. Podemos servir comida y bebidas en vez de vender abarrotes.

—Puedes hacer tacos, enchiladas, chiles rellenos, tamales, arroz y frijoles —añadió Magdalena.

—Y nosotras podemos servir la comida —dijeron Ana, Gabriela y Luz.

Together they made a list of things they needed from San Feliciano. "Dough for tortillas, rice, dried beans, and flour," said Mama. "We'll need peppers too, until we grow our own."

"Let's make our café colorful," said Rosa. "Papa, please buy some paint and brushes. I'd like bright pink and purple. Those are my favorite colors."

"Blue like the sea and green like the trees for me," added nine-year-old Magdalena.

"I want pale pink and pale blue," said eight-year-old Ana.

"Orange and red like the sunset," said six-year-old Gabriela.

"Yellow, please," said Luz. "Like the sun."

"We need six small tables and twenty-four chairs," said Mama. "And different colored fabrics for tablecloths and napkins. And some dishes, too."

Alfredo said yes to all the requests but in his gut he wondered if he had done the right thing to sell their farm and move to this store on the highway. When he went back to San Feliciano, he left with hope and a prayer in his heart.

Juntos hicieron una lista de las cosas que necesitaban de San Feliciano. —Masa para las tortillas, arroz, frijoles y harina —dijo mamá—. También vamos a necesitar chiles, hasta que los podamos cultivar.

—Nuestra lonchería debe ser colorida —dijo Rosa—. Papá, por favor compra pintura y brochas. A mí me gustaría un rosa brillante y morado. Esos son mis colores favoritos.

—Azul como el mar y verde como los árboles para mí —añadió Magdalena, de nueve años.

—Yo quiero un rosa pálido y un azul pálido —dijo Ana, de ocho años.

—Anaranjado y rojo como el atardecer —dijo Gabriela, de seis años.

—Amarillo, por favor —dijo Luz—. Como el sol.

—Necesitamos seis mesas pequeñas y veinticuatro sillas —dijo mamá—. Y telas de diferentes colores para hacer manteles y servilletas, y también algunos platos.

Alfredo dijo que sí a todos los pedidos pero empezó a dudar si había hecho lo correcto al vender su rancho y mudarse a esta tienda al lado de la carretera. Cuando fue a San Feliciano por las compras, viajó con una oración y un corazón lleno de esperanza.

While Papa was away, Mama and the girls swept and scrubbed. They whitewashed the walls inside and out. The food from the store was placed neatly on the shelves. When Papa returned, Mama took out her old sewing machine and made tablecloths and napkins.

"Our last name is Flores," said Rosa. "So let's paint flowers everywhere."

The girls painted flowers around the doors and windows, on the table legs, and all over each chair. They made colorful menus. Then Mama put the bright new cloths and napkins on each table.

Mientras papá estaba fuera, mamá y las niñas barrieron y limpiaron. Ellas blanquearon las paredes por dentro y por fuera. La comida de la tienda estaba bien organizada en los estantes. Cuando regresó papá, mamá sacó su vieja máquina de coser e hizo manteles y servilletas.

—Nuestro apellido es Flores —dijo Rosa—. Así que hay que pintar flores por todos lados.

Las niñas pintaron flores alrededor de los marcos, en las patas de las mesas y en cada silla. Hicieron menús llenos de colores. Luego mamá acomodó los manteles y las servilletas nuevas y brillantes sobre cada mesa.

"We need one more thing," said Rosa. "A sign for our restaurant."

Papa found a piece of board and Magdalena carefully printed Lonchería on it. They hung the sign above the front door. "We are ready," said Mama.

While Mama and the girls were busy indoors, Papa had worked hard outside. The tourists needed a place to park. Papa moved boulders, cut down cactuses, and raked the ground to make it smooth. He stood old tires side by side around the edge, burying the bottom part of each.

It took them a week of hard work and sweat but finally the restaurant was ready for customers.

—Necesitamos una cosa más —dijo Rosa—. Un letrero para nuestro restaurante.

Papá encontró un pedazo de madera donde Magdalena escribió, con mucho cuidado, Lonchería. Colgaron el letrero arriba de la puerta principal. —Estamos listos —dijo mamá.

Mientras mamá y las niñas se ocupaban del interior, papá había tenido mucho trabajo duro afuera. Los turistas iban a necesitar un espacio en donde estacionarse. Papá movió piedras grandes, cortó cactos y rastrilló la tierra para aplanarla. Acomodó llantas viejas alrededor de ese espacio, enterrando la parte inferior de cada una en la tierra.

Les costó una semana de mucho trabajo y sudor pero finalmente el restaurante estaba listo para los clientes.

One day soon after they finished, a truck filled with thirsty road workers stopped at the restaurant. They were the restaurant's first customers. "Highway One is finished," the driver said. "It's over one thousand miles long, and it's paved all the way."

"Our restaurant is finished, too," said Papa proudly. "Now, the people will come."

Every morning Papa built a fire in the stove. He chopped up dead cactus plants to use as firewood. Wearing their prettiest dresses, the girls sat at the side of the road doing their schoolwork. Mama worked in the kitchen.

On the first day, only one car passed by. Then they began to see more and more. The girls waved and smiled, but no one ever stopped. Papa and Mama were worried. "We sold our home, most of our money is gone, and nobody stops at our restaurant," they said.

Un día, poco después de que habían terminado, una camioneta llena de trabajadores de carretera sedientos llegó al restaurante. Ellos fueron los primeros clientes. —La Carretera Federal Uno ya está terminada —dijo el conductor—. Mide más de mil millas de largo y está completamente pavimentada.

—Nuestro restaurante también ya está terminado —dijo papá orgullosamente—. Ahora la gente va a venir.

Cada mañana papá prendía fuego en la estufa. Cortaba nopales secos para usarlos de leña. Las niñas se ponían sus vestidos más bonitos, se sentaban al lado de la carretera y hacían su tarea. Mamá trabajaba en la cocina.

El primer día, sólo pasó un carro. Luego empezaron a ver más y más. Las niñas saludaban y sonreían, pero nadie se paraba. Papá y mamá se estaban preocupando. —Vendimos nuestra casa, ya se acabó la mayoría de nuestro dinero y nadie viene a nuestro restaurante —dijeron.

21

The girls loved their parents, and wanted to help. Suddenly, Ana said, "We have painted flowers inside our restaurant, but no one knows how pretty it is. Let's paint flowers outside, too."

It took two whole days for the girls to paint and cover the whole building with flowers the size of dinner plates. Papa used rainbow colors on the tire fence. Mama made a bigger sign. It read LA LONCHERÍA DE LA FAMILIA FLORES. Gabriela and Luz decorated around the edge.

People stopped to take photographs of the colorful building and of the pretty little girls. Then they went inside and had lunch.

De repente, Ana dijo —Hemos pintado flores adentro de nuestro restaurante pero nadie sabe lo bonito que es. Hay que pintar flores por fuera también.

Les llevó dos días enteros a las niñas Flores para cubrir todo el edificio con flores grandes, del tamaño de platos. Papá usó colores del arcoíris para pintar la barda de llantas. Mamá hizo un letrero más grande. Éste decía LA LONCHERÍA DE LA FAMILIA FLORES. Gabriela y Luz decoraron los bordes.

La gente se paraba para tomar fotos del edificio tan lleno de colores y de las niñas bonitas. Luego entraban para comer.

24

Word of the wonderful restaurant spread. Before long, people crowded into the Lonchería from dawn until dusk. In the early morning and in the evening, the girls and their parents gathered together to read, do arithmetic, and read the newspaper. They heard about a few other families scattered about and talked of starting a school nearby with other families.

As the weeks went on Mama, Papa, and the girls couldn't stop smiling. They had made the right choice after all. And every night, Alfredo sighed and said, "Our girls have made all of our dreams come true. I am so lucky to have five precious daughters. Everything is as it should be."

Se corrió la noticia del maravilloso restaurante. Al poco tiempo, la gente comenzó a llenar la lonchería desde el amanecer hasta el atardecer. Temprano en la mañana y en la tarde, las niñas y sus papás se juntaban para leer, hacer aritmética y leer el periódico. Habían escuchado de otras cuantas familias que vivían en los alrededores y hablaban de empezar una escuela con ellas.

A medida que pasaban las semanas, mamá, papá y las niñas no podían dejar de sonreír. Resultó que sí habían tomado la decisión correcta. Y cada noche Alfredo suspiraba y decia, —Nuestras hijas han logrado que se cumplan todos nuestros sueños. Me siento tan afortunado de tener cinco hermosas hijas. Todo está en su lugar.

Vocabulary
Vocabulario

Paint
Pintura

Furniture
Muebles

Pan
Cazuela

Daughter
Hija

Brushes
Brochas

Flowers
Flores

Boulders
Piedras grandes

Sewing Machine
Máquina de coser

Letter
Carta

Tablecloth
Mantel

Photograph
Foto

Table
Mesa

Firewood
Leña

Pepper
Chile

Cactus
Nopal

Eggs
Huevos

Tire
Llanta

Highway
Carretera

Sign
Letrero

Chair
Silla

Mexican Salsa

Ingredients:
- 1 lb of tomatoes
- 10 green chiles, preferably serrano
- 3 garlic cloves
- 1/2 of a large onion
- Salt, to taste

In a large pot, bring 1 quart of water to a boil. Place the tomatoes, green chiles, garlic, and onion in the pot and cook for 10 minutes. Rinse with cool water. Blend using a blender or mortar and pestle. Place the salsa in a pan and heat until it boils, adding salt to taste and stirring constantly.

Salsa mexicana

Ingredientes:
- 1 lb (1 libra) de tomates
- 10 chiles verdes, de preferencia serrano
- 3 dientes de ajo
- 1/2 cebolla
- Sal al gusto

En una olla con agua hirviendo, coloque los tomates, el chile, el ajo y la cebolla. Deje cocer por 10 minutos. Enjuague todo con agua fría. Muela la salsa en licuadora o molcajete. Coloque la salsa en una cazuela y caliéntela hasta que hierva, añadiendo sal al gusto y meneando constantemente.